CHRISTMAS 2006

A BIG HUG TO HALEY JANE
FROM YOUR
"BESTEFAR"
IN NORWAY.
I LOVE YOU A
BUSHEL AND A PECK.

Favorite Farm Animals
Oversatt av Kari Engen
Copyright © 1994 The Walt Disney Company
Utgitt av Fredhøis Forlag A/S,
et selskap i Egmont-Gruppen
Trykt hos Aarhuus Stiftsbogtrykkerie, Danmark
ISBN 82-04-03974-3

Walt Disney

Dyrene på gården

Fredhøis Forlag A/S

Mikke og nevøene hans er på vei til bondegården.
«Hurra!» roper Tipp og Topp. «Snart får vi se alle
dyrevennene våre!»

«Hei, lille kanin! Vi har med noe å spise til deg! Hva vil du ha? Salat eller gulrøtter?»

en kanin

et kaninbur

et salathode

en gulrot

Hvordan kan noen si at griser er slemme og skitne? Denne grisen er så ren, så snill og så søt!

en gris

poteter

et trau

et grisehus

«Så søte og pene de små kyllingene dine er, fru Høne! Kan jeg få holde dem og klappe dem og kysse dem...?»

en hane

en høne

kyllinger

et egg

Kom, små fugler, kom og smak på de deilige frøene! Hvilken overraskelse for dyrene – selskap på gårdstunet!

en and

en perlehøne

en gås

en kalkun

«Å, så deilig melk,» sier Tipp. «Tusen takk, fru Ku!
Vær så god, disse blomstene er til deg,» sier Topp.

ei ku

en kubjelle

en melkebøtte

en krakk

«For en flott dag, onkel Mikke! Takket være deg fikk vi treffe alle dyrene på gården og lærte mange nye ting!»

kanin

kaninbur

salathode

gulrot

gris

poteter

trau

grisehus

hane

høne

kyllinger

egg

and

perlehøne

kalkun

gås

ku

kubjelle

melkebøtte

krakk